TÛT.

Dupa

HEUREUX QUI, COMME CUBITUS...

EDITIONS DU LOMBARD
BRUXELLES PARIS

tintin
LE JOURNAL
QU'ON DÉVORE!

D 1981/0086/1421

Dépôt légal : Mars 1984
ISBN 2-8036-0296-2

Imprimé en Belgique par Proost sprl.

PARTEZ!

DÉLICIEUSE PÉRIODE DE LA VIE!...
AAAAH... L'ENFANCE!...

TOUT EST PERMIS! AUJOURD'HUI, ON EST BUFFALO BILL, ON SERA IVANHOÉ DEMAIN!... ET AL CAPONE APRÈS-DEMAIN, S'IL EST LIBRE! IMAGINATION INTARISSABLE DU BAMBIN PÉTILLANT: COLLECTIONNER LES CHENILLES, CACHER LE MARC DE CAFÉ SOUS LA MOQUETTE DU SALON, FAIRE PIPI DANS LES PLANTES VERTES OU REMPLACER LE CHOCOLAT PAR LE FOND DE TEINT DE MAMAN DANS LES TARTINES DE PAPA!... TOUT, QUOI!

EH BIEN NOUS, LES CHIENS, TOUT ÇA ON NE PEUT PAS! À PEINE VENUS AU MONDE, LES ENNUIS COMMENCENT: TOUT D'ABORD, IL Y EN A FORCÉMENT UN QUI A FAIM. MAMAN AVAIT TOUJOURS UN TÉTON TROP PEU OU UN CHIOT EN TROP.
C'ÉTAIT MOI, ÉVIDEMMENT!
HEUREUSEMENT, DEPUIS, JE ME SUIS RATTRAPÉ.

ET VOUS SAVEZ COMMENT ÇA VA: UN JEUNE PAR-CI, UN AUTRE JEUNE PAR-LÀ! ON NOUS DISTRIBUE COMME DES PETITS PAINS ET SANS SE SOUCIER DE L'ATROCE DÉCHIRURE...

... À PEINE LÀ, ON NOUS SOUSTRAIT DÉJÀ À L'AMOUR MATERNEL POUR NOUS CATAPULTER CHEZ UN INCONNU OU UNE QUELCONQUE TANTE GÂTEUSE QUI NOUS CONFECTIONNE DES NOEUDS ROSES POUR LE DIMANCHE.
ET À PRESQUE TOUS LES COUPS, ELLE A UN CHAT AUSSI!

ON DEVRAIT SAVOIR QU'IL N'Y A PAS DE VIE HEUREUSE SANS UNE ENFANCE HARMONIEUSE TOUT ENTOURÉE DE L'AFFECTION DES SIENS ET...

SÉNÉCHAL, VOULEZ-VOUS M'ADOPTER?

AUTO-SATISFACTION.

ET N'OUBLIE PAS QUE CE QUI FAIT LE CHIC DE L'HOMME SOIGNÉ, C'EST LA QUALITÉ DU REPASSAGE DE SES VÊTEMENTS!
DONC, TU INSISTES.

HEU... NON! PAS ICI!
VOTRE LINGE LAVÉ SÈCHE
PAS D'ANIMAUX
LA DIRECTION

DEHORS!!!! PAS DE CHIEN DANS L'ÉTABLISSEMENT! SÉMAPHORE N'A QU'À SE DÉPLACER LUI-MÊME!
TOUPROP

OUSTE! ICI, ON N'ACCEPTE QUE MON CHAT!

...ET MOI JE VOUS DIS QUE SI J'AI PAYÉ, VOUS NE POUVEZ PLUS ME REFUSER L'ACCÈS DE VOTRE MANÈGE! TOC!
JE SAIS QUE CE N'EST PAS UN PRÉ, MAIS C'EST TOUT COMME.
CELLE-CI N'AVANCE PAS, UN VRAI FER À REPASSER!

LA MAIN DE MASSUE.

BON.
C'EST BIEN ICI QUE ÇA SE PASSE !
BEAU COIN !

ÉCLAIRAGE CORRECT ! L'ENDROIT EST BIEN CHOISI !

TOUT CELA M'A L'AIR BIEN DROIT !

LA PRÉCISION DU SITE, IL N'Y A QUE ÇA DE VRAI !

AH ! C'EST VRAI ! NE PAS OUBLIER MA TENUE DE TRAVAIL !
POURVU QUE MON NOUVEAU COLLABORATEUR SOIT EXACT AU RENDEZ-VOUS QUE JE LUI AI FIXÉ !...

VOYONS VOYONS !... IL EST ÉCRIT : "RENDEZ-VOUS À 22 HEURES AU COIN DE LA RUE DU CHOC ET DE LA RUE DES ÉTOILES...
?
ÇA A L'AIR D'ÊTRE ICI !
... ET CE SERA UN BON GAG !
402

LE COUP DU SOT.

CUBITUS M'A FAIT LE COUP LA SEMAINE DERNIÈRE, MAIS IL NE FAUDRAIT PAS CROIRE POUR CELA QUE LES CHATS SONT MOINS TRUANDS QUE LES CHIENS !
D'OÙ : VENGEANCE !

LE VOILÀ ! OBÈSE COMME IL EST, JE PEUX FRANCHEMENT FRAPPER LES YEUX FERMÉS, JE SUIS TOUJOURS CERTAIN DE L'ATTEINDRE QUELQUE PART.
VOYONS !... "RENDEZ-VOUS AU COIN DES RUES DU CHOC ET DES ÉTOILES..". ÇA ME RAPPELLE CONFUSÉMENT QUELQUE CHOSE...

OH JOIE ! OH JUBILATION ! IL ARRIVE !!... INSTANT DÉLICIEUX DU FORFAIT ACCOMPLI AVEC EFFICACITÉ... IL VA PRENDRE LA TRIPOTÉE MAISON !

ET ALORS ?!? QU'EST-CE QU'IL ATTEND, CE BOUFFI EN SURSIS ??
MA MASSUE S'IMPATIENTE !!

QUATRE MINUTES TRENTE !!... CE N'EST PLUS POSSIBLE ! IL DEVRAIT DÉJÀ ÊTRE AU COMMISSARIAT, SA BOSSE À LA MAIN POUR PORTER PLAINTE !... J'ESPÈRE QU'IL N'A PAS FAIT UNE MAUVAISE RENCONTRE !
TANT PIS, JE RISQUE UN OEIL !

CIEL !! ON A INTERCEPTÉ MA VICTIME !!!

OUIN ! AU VOLEUR !!
403.

À LA CARTE.

POLOMPOMPOM
ZINGZANGTSOINTSOIN
ZIM BOUM

LA POUBELLE DE SÉNÉCHAL!

CE N'EST PAS QUE CE SOIT DANS MES HABITUDES DE FOUILLER DANS LES DÉTRITUS DES AUTRES, MAIS J'AIMERAIS TOUT DE MÊME SAVOIR CE QUE CE NAVET DE SÉNÉCHAL A L'HABITUDE DE MANGER POUR CONSERVER UN AIR BÊTE AUSSI CONVAINCANT ET AUSSI TENACE!
DES CONSERVES! JE L'AURAIS JURÉ!... CET ANIMAL A TELLEMENT MAUVAIS GOÛT QU'IL S'EMPIFFRE DE COCHONNERIES QUI LUI FLANQUENT DES PETITS BOUTONS VERTS!... D'AILLEURS, JE VAIS VOUS LIRE LES ÉTIQUETTES!... TENEZ-VOUS À DEUX MAINS...

SOUPE AU TOUTOU DU PÈRE CLÉBARD, AVEC PETITS POIS!
PÂTÉ DE FOIE DE ROQUET À SA MÉMÈRE AUX FRUITS CONFIS!...
MAIS!!... MAIS!! C'EST DU CANNIBALISME!!

AU SECOURS!!! ON M'EN VEUT!!!

VOYONS!!... ET SUR CELLE-CI, QU'EST-CE QUE J'ÉCRIS?!?
JAMBON DE CANICHE CUIT AUX MORILLES?
CONSOMMÉ DE BOULEDOGUE AVEC BISCOTTES ET LÉGUMES ENTIERS!
ALLO? LA SOCIÉTÉ PROTECTRICE DES ANIMAUX ET DES CHIENS EN PARTICULIER?!?
JE CROIS QU'ON VEUT ME DÉVORER
AVEC DU PERSIL DANS LES NASEAUX!!
405

L'EN PISTE.

CLIC
ENCORE!!?!!
RIEN.
CLIC CLIC CLIC CLIC CLIC CLIC CLIC CLIC
OUÏE!

DONC, SI JE COMPRENDS BIEN, IL SUFFIT D'UNE BRÈVE COUPURE DE COURANT POUR QUE MONSIEUR CUBITUS BAZARDE TOUTES LES AMPOULES DE LA MAISON !!!
COMME SI ELLES VENAIENT DE PÉTER TOUTES EN MÊME TEMPS!...
407

LE CRIN-CRIN SIFFLERA TROIS FOIS.

JE VAIS VOUS JOUER DU VIOLON! AAAAH...

ET MOI DU VIOLONCELLE! PAF!
JE T'ACCOMPAGNERAI!
GROWWW

JE TE RECONNAIS BIEN LÀ, TIENS! TOUTES LES OCCASIONS SONT BONNES POUR INSISTER SUR LA SUPÉRIORITÉ DE L'HOMME VIS-À-VIS DE L'ANIMAL!... ET CELA DEVANT NOS LECTEURS!!!
BRAVO.
?

TU ME JUGES MAL, MON BON CUBITUS! JE VOULAIS SIMPLEMENT DONNER L'AUBADE AVEC TOI ET PARTICIPER AU RAVISSEMENT GÉNÉRAL...
ON DIT ÇA!

D'AILLEURS, JE LE PROUVE: JE CHANGE D'INSTRUMENT ET J'EN CHOISIS UN QUI EST PLUS PETIT QUE TON VIOLON.

UNE FLÛTE MINUSCULE ?... ÇA VA?
ÇA VA.
PLUS PETIT QUE CELA, IL NE RESTAIT QUE LE SIFFLET D'ARBITRE.

SNIF.
NOUS SOMMES QUITTES!
PRÊT?
408

TU MENDIERAS TANT.

À VOTRE BON COEUR...
?

MON PAUVRE AMI, JE COMPATIS À TA GRANDE DÉTRESSE, MAIS CE N'EST PAS EN SOMBRANT DANS LA MENDICITÉ QUE TU TROUVERAS TA PÂTÉE QUOTIDIENNE...
VOYONS...
ZUT! JE SUIS TOMBÉ SUR UN OS!

CE QU'IL TE FAUT, C'EST UN TOIT! TOUT D'ABORD, TROUVE-TOI UN BON MAÎTRE, SI POSSIBLE SEUL DANS LA VIE LUI AUSSI, ET QUI AIME LES ANIMAUX! ÉVITE LES BRICOLEURS, ILS CONSTRUISENT DES NICHES ET NOUS FONT DORMIR DEHORS. LES MALADROITS, EUX, PRÉFÈRENT LE COUSSIN PRÈS DU FEU CAR ÇA LEUR ÉVITE DE SE TAPER SUR LES DOIGTS.

ET TÂCHE D'ÊTRE PLUS CONVAINCANT. REPÈRE LE PASSANT QUI A L'AIR GENTIL ET SURPRENDS-LE AU COIN D'UNE RUE... TU LUI FAIS LE GRAND NUMÉRO AVEC LARMES ET "WAF" DÉCHIRANTS. ÇA MARCHE À TOUS LES COUPS : IL TE RAMÈNE CHEZ LUI, TE DONNE UN BOL DE LAIT ET NEUF FOIS SUR DIX, IL T'ADOPTE!
ET À TA PLACE, J'ESSAIERAIS AUSSI DE TROUVER UN TRUC POUR PARAÎTRE UN PEU PLUS JEUNE...
AH?

OUIIIN! À VOTRE BON COEUR!!
?
JE ME DEMANDE QUEL EST LE GUGUSSE QUI VA SE LAISSER ATTENDRIR PAR UN AFFREUX PAREIL.

HORREUR SUR LA PERSONNE.

DEHORS!!
PROFITEUR!

ET VOILÀ CE QU'ON APPELLE L'HOSPITALITÉ ET L'ASSISTANCE AUX DÉSHÉRITÉS!... BRAVO!!! BEL EXEMPLE!
IL Y A À PEINE UNE SEMAINE QUE JE SUIS LÀ ET DÉJÀ JE ME FAIS VIDER COMME UN MALPROPRE!
VLAM

OUF! J'AI EU LA FORCE DE L'EXPULSER!... CE N'ÉTAIT PLUS TENABLE!... J'AI EU LA FAIBLESSE DE LE RÉCONFORTER, IL EN A PROFITÉ POUR S'INSTALLER À MA TABLE ET DANS MON HAMAC... DEPUIS, IL N'Y AVAIT PLUS MOYEN DE M'EN DÉBARRASSER!...
J'ALLAIS CRAQUER BIENTÔT!
VOILÀ QUI EST FAIT!

GÉNÉRATION DE PARESSEUX, VA!... DE MON TEMPS, LES CHIENS CONNAISSAIENT LEURS DEVOIRS DE COMPAGNON FIDÈLE : COURIR CHERCHER LE JOURNAL, MORDRE LE PERCEPTEUR, APPORTER LES PANTOUFLES ET VEILLER SUR LE LOGIS...

CELUI-LÀ?... TOUT JUSTE BON À RÊVASSER DEVANT LA CHEMINÉE, À DÉVORER LE CONTENU DU RÉFRIGÉRATEUR AVANT MÊME QU'IL SOIT RANGÉ, À SE FAIRE LES ONGLES SUR LE PARQUET ET À CULTIVER LA PARESSE JUSQU'À LA PERFECTION.
GRRR.
?

QUANT À CELUI QUI A MIS CE PARASITE SUR MA ROUTE, JE LUI FERAIS VOLONTIERS LA GROSSE TÊTE!

VOUS N'AURIEZ PAS VU, PAR HASARD, UN GROS CHIEN BLANC AVEC UNE QUEUE JAUNE??? ...
JE NE COMPRENDS PAS CE QUI LUI A PRIS...
À VOTRE BON COEUR ...

TÊTES DE PIOCHES.

OUI! OUI! C'EST UNE VIEILLE LÉGENDE: IL PARAÎTRAIT QUE CETTE CARTE INDIQUE L'ENDROIT OÙ UN TRÉSOR SERAIT ENTERRÉ PAS LOIN D'ICI!... MOI, J'AI L'HABITUDE DE CES BOBARDS ET ÇA NE M'ÉMEUT PLUS!
MAIS SI ÇA T'AMUSE, JE TE LA LAISSE, MON BON CUBITUS!
POGNON

SALUT.

ICI

TCHOP

KRATCH
SCRUNCH
SPRITCH

UNE GROSSE JOURNÉE D'EFFORTS ET TOUJOURS RIEN!...
VIDÉ, MOI!...

EH BIEN VOILÀ: PLUS MOYEN DE REMONTER!... CE QUI M'ÉNERVE LE PLUS, C'EST DE SAVOIR QUE CET IMBÉCILE DE SÉNÉCHAL SE PRÉLASSE BÊTEMENT DANS SON BÊTE JARDIN!...

GRRR.
SNIF.
100 LB

ÇA BOSSE DÈS MATIN.

DRAiiNG
Z

DZZZiIIIIII

TÛÛÛÛÛÛ

Z

?
C'EST TOI??...DÉJÀ??...
TU AS OUBLIÉ
QUELQUE CHOSE?...
Z

IL EST PLEIN DE BONNES RÉVOLUTIONS.

OÙ AI-JE BIEN PU FOURRER CETTE SATANÉE PIPE ?...

NE CHERCHE PLUS. JE L'AI FLANQUÉE À LA POUBELLE LE JOUR OÙ TU AS DÉCIDÉ POUR LA CENT QUATORZIÈME FOIS DE NE PLUS FUMER.
ET J'EN AI PROFITÉ POUR BAZARDER LE TABAC AVEC !
QUANT AUX ALLUMETTES, JE LES AI TAILLÉES EN CURE-DENTS !

ET MES CHEWING-GUMS ?!?... OÙ SONT MES CHEWING-GUMS? QUAND J'AI LES NERFS TENDUS, C'EST SOUVERAIN ET...
ÇA Y EST! JE ME SOUVIENS MAINTENANT! JE LES AI JETÉS AVEC TA PIPE PARCE QUE LA VOISINE TROUVAIT CELA INÉLÉGANT DE MASTIQUER SANS CESSE EN LUI FAISANT LA CONVERSATION.

LE BAR!!... UN BON PETIT RHUM COPIEUSEMENT TASSÉ DANS UN GRAND VERRE ET JE ME SENS UN AUTRE HOMME!...

JE ME DISAIS BIEN QU'ON FINIRAIT PAR EN PARLER DE CES FAMEUSES BOUTEILLES QUI FAISAIENT LE MALHEUR DE TON FOIE SI SENSIBLE!... ALORS, MOI,... PFOUIT!...
POUBELLE!

MAIS QU'EST-CE QU'IL ME RESTE DANS LA VIE, ALORS ?

MOI.

LA VUE, C'EST LA VIE.

HAUT LES COEURS, CUBITUS!
BOF.

LAPIN

AH! BONJOUR MONSIEUR CUBITUS!... BELLE JOURNÉE ...
VENEZ DONC PRENDRE UN VERRE, MONSIEUR CUBITUS! ...

HAUT LES COEURS, SÉMAPHORE!
BOF.
422

À LAPIN, LAPIN ET DEMI.

ALERTE! ALERTE! ALERTE!

UN CHASSEUR ET SON CHIEN SE DIRIGENT PAR ICI!! ILS SONT FÉROCES ET AFFREUX À VOIR!
!

L'HOMME A UN GROS FUSIL! QUANT AU CHIEN, IL EST INREGARDABLE... IL A DES DENTS COMME DES BAÏONNETTES, LES OREILLES DÉMESURÉES ET LE REGARD DU FAUVE PRÊT À TOUT!
ENCORE?!?
AU SECOURS!

LE CHASSEUR, JE LE CONNAIS... IL EST INOFFENSIF! IL MANQUERAIT UNE BALEINE DANS UN RUISSEAU.
DONC, PAS DE PANIQUE!

MAIS LE CHIEN, IL EST BIZARRE! SON COMPORTEMENT ET SON MATÉRIEL SONT INHABITUELS! JE CROIS QU'IL VAUDRAIT MIEUX LES OBSERVER DE PLUS PRÈS!

IL N'Y A PAS À DIRE : C'EST UN TRIOMPHE! COMME TU LE PRÉVOYAIS: AVEC CE DÉGUISEMENT, LE GIBIER NE SE MÉFIERA PAS!!!
TU VAS TE MARRER, MOI, J'AVAIS OUBLIÉ LES MUNITIONS!...
423.

AVEC VUE SUR L'AMER.

JE L'AI CONSTRUIT MOI-MÊME ET JE VAIS LE METTRE À L'EAU TOUT DE SUITE!

POUR CELA, J'AI CONSULTÉ DES MONTAGNES DE LIVRES CONSACRÉS À TOUS LES TYPES DE NAVIRES : PAQUEBOTS, DRAKKARS, NEFS, GALIONS, CARAQUES, GALÈRES...
CARAVELLES
BRICKS
GOÉLETTES

TARTANES
TRIRÈMES
CUIRASSÉS
PFFT!
JONQUES
CANONNIÈRES

DESTROYERS
AVISOS
SOUS-MARINS
TORPILLEURS
CROISEURS
PORTE-AVIONS

C'EST DRÔLE, IL ME SEMBLE POURTANT QUE J'EN AI OUBLIÉ UN...

PFFFT.

BAOOM!

MOUILLEUR DE MINES.

INDIEN VAUT MIEUX QUE DEUX TU L'AURAS.

TAM TAM TAM TAM TAM TAM TAM *

PSSSST! VOUS, LÀ!

*: SON DU TAM-TAM DE GUERRE QUAND IL VIENT D'ÊTRE DÉTERRÉ.

PAN! TOUCHÉ!
PLOP

WAF! WAF! LE VISAGE PÂLE VIENT D'EN PRENDRE PLEIN LA POIRE ET ÇA FAIT RIGOLER LE GRAND MANITOU!

IL N'Y A PAS À DIRE, MAIS ILS NE SONT VRAIMENT PAS DOUÉS POUR LES GRANDS ESPACES, CES FILS DE CHATS!

BON.

PSSSST!
?
PAPOOSES NEWS

BLAM

OH MY DARLING, OH MY DARLING...
FÉMAPHORE! FE CROIS AFOIR COMPRIS POURQUOI LES FISAFES PÂLES L'ONT EMPORTÉ FUR LES PEAUX-ROUFES: ILS N'ONT AUCUN SENS DE LA MESURE!!!
?

BARON DE CUIR.

ALLO? CEUX D'EN FACE?... PASSEZ-MOI VON SÉNÉCHWARZ!... ICI CUBITUS, L'AS DE LA CHASSE FRANÇAISE!
ET EN PLEINE FORME.

ALLO?!? ACH! UN DUEL ENTRE NOUS, MEIN LIEBER KUPITUS? FOUS SAFEZ POURTANT QUE CHE ZUIS IMPATTABLE À CE CHEU... JA... JA, GUT, CHE RELÈVE LE DÉFI.

C'EST POSSIBLE MAIS ATTENDS D'AVOIR VU MA DERNIÈRE TACTIQUE!

WAS? LE FOILÀ DÉCHÀ!!!
ACH! IL OSE!

AÏE
SAUVAGE
PAF
PIF

I AM A POOR LONESOME PILOT FAR AWAY FROM Q.G.

SÉNÉCHAL, DEVINEZ DE QUOI JE VIENS DE RÊVER CETTE NUIT...
429.

BONS BAISERS DE LA HAVANE.

PSSCHCHCHCHCHCHCH

PSCHCH

?
CHCH KLOP!

!!!

PUF
PUF
PUF
PUF
PUF
PUF...

BLAM

ON NE DEVRAIT JAMAIS S'APPROVISIONNER CHEZ UN COMMERÇANT EN FARCES ET ATTRAPES QUI DISTRIBUE DES CIGARES ET QUI ADORE SON MÉTIER.
?

LE POIDS, C'EST L'AMI.

CUBITUS, MON GROS TOUTOU !... KISS ! KISS ! VIENS SUR MES GENOUX !...
GENOUX GENOUX GENOUX ...

HIBOUX, CHOUX, CAILLOUX, POUX, JOUJOUX, BIJOUX, TAGADA TSOIN TSOIN

CRAC

MAIS JE ME SOIGNE!

?

GRAND
HOTEL

LIBRAIRIE
A. LAPAGE

OUI! OUI! CELUI-LÀ!... MAIS AVEC UN EMBALLAGE... EUH... C'EST... C'EST POUR UN CADEAU!

ET ALORS? IL EST CHOUETTE, CE BOUQUIN?
CANON!
VOTRE TIMIDITÉ VAINCUE
OU
DEVENEZ UN
CHEF!

LIME, AÏE!

!

TCHONK
TCHONK
TCHONK

HA!

Moi, Médor et Ian Gloise dit "Le Passe Murailles", flibustier endurci et prisonnier de cette tour, lègue avant mon évasion, à celui qui le découvrira, mon meilleur os qui est toute ma fortune.
En le croquant, il comprendra

KROOOOOOIIIIIN!

LE GROS SUR LA PATATE.

BON. L'HEURE, C'EST L'HEURE. SALUT, MON GROS.

KLIK

SÉMAPHORE.
MH?
MA VIE EST UN ENFER.

JE SAIS BIEN QUE J'AI UN LÉGER EMBONPOINT, MAIS EST-CE UNE RAISON POUR M'EN FAIRE L'AFFRONT À CHAQUE INSTANT ? SÉNÉCHAL, JE LUI FLANQUE MA MAIN SUR LA FIGURE ET ON N'EN PARLE PLUS... MAIS VENANT DE TOI, C'EST UN COUP D'ÉPÉE

JE SUIS PRODIGIEUSEMENT MALHEUREUX...
MAIS!... MAIS! JE N'AI PAS VOULU ...

EUH... EUH... ÉCOUTE... POUR TE CONSOLER, VIENS TE METTRE À CÔTÉ DE MOI, JE TE DORLOTERAI, TU SERAS MIEUX ET...
ATTENDS, J'ALLUME.

J'AURAIS MIEUX FAIT DE ME TAIRE.
ÇA VA DÉJÀ BEAUCOUP MIEUX.

ON FAIT AVEC CE QU'ON PEUH!

OUI! JE SAIS, ELLE N'EST PAS NEUVE, MAIS C'EST TOUT CE QUE J'AI TROUVÉ.
!
52

EN ATTENDANT QUE L'AUTRE SOIT RÉPARÉE, J'AI ÉCHANGÉ CELLE-CI AU PÈRE CAMPION CONTRE UN PLAT DE LENTILLES. UN PEU DE PEINTURE PAR-ÇI, UN COUP DE CHIFFON PAR-LÀ, C'EST UNE AFFAIRE.
EN EFFET, ÇA SAUTE AUX YEUX.

J'EN AI MARRE DE CES VIEILLES CARCASSES. ÇA SENT MAUVAIS ET ÇA FAIT DES TACHES D'HUILE SUR LES PAPATTES.
SANS COMPTER TOUTES LES FOIS OÙ ON SE FLANQUE LE PORTRAIT SUR LA CHAUSSÉE.
DEPUIS QUE L'AUTRE ÉTAIT RATATINÉE, J'ÉTAIS TRANQUILLE... PFROUT!

ATTENDEZ! JE CROIS QUE J'AI UNE IDÉE ...

TAP
TAP

ALLÔ? MIRZA?... OUI! C'EST MOI! ÉCOUTE: TU DOIS ME RENDRE UN SERVICE... DÉNICHE CE QUE TU AS DE PLUS VIEUX ET DE PLUS LOQUETEUX COMME VÊTEMENTS, TU T'AMÈNES ET...

BON. À MON TOUR.

!
OUI! JE SAIS QU'ELLE N'EST PAS NEUVE, MAIS C'EST TOUT CE QUE J'AI TROUVÉ.
HI! HI!
440

CHIEN D'INTÉRIEUR.

CE N'EST PAS PARCE QUE TU AS DORMI UNE FOIS DANS MON LIT QUE ÇA DOIT DEVENIR UNE HABITUDE.
HEU ...

TU ES LE SEUL CHIEN DU PAYS À DORMIR DANS UNE NICHE CAPITONNÉE, À AVOIR UN POSTER DE RINTINTIN ET TON ÉDREDON CHANGÉ CHAQUE SEMAINE.
ET TU TE PLAINS!

J'EN CONNAIS QUI DORMENT SUR LA PIERRE DU SEUIL, QUELLES QUE SOIENT LES INTEMPÉRIES!... ET QUI NE RÉVEILLENT PAS LEUR MAÎTRE EN PLEINE NUIT POUR LUI DIRE QU'IL FAIT NOIR.
SNIF.

TU AS TOUT CE QU'UN PACHA SOUHAITE POUR ÊTRE HEUREUX ET ÇA NE TE SUFFIT PAS ENCORE!!!

CE N'EST PAS UNE QUESTION DE CONFORT, C'EST UNE QUESTION DE SOLITUDE!
OUIN!

TU NE VOUDRAIS TOUT DE MÊME PAS QUE J'AILLE DORMIR DANS TA NICHE POUR TE TENIR COMPAGNIE, PAR HASARD?!?

CETTE SOLUTION NE ME SATISFAIT QUE TRÈS PEU.
PAR CONTRE, ELLE ME CONTRARIE ÉNORMÉMENT.
Z

LE LIT QU'ON JUGULE.

Z *
JE SOUFFRE.
MA VIE EST UN ENFER. AÏE.

MA PAROLE! JE NE RÊVE PAS! MON BON CUBITUS, NE VIENS-TU PAS DE GÉMIR ?!?
SI! CHAQUE JOUR, OU PLUTÔT CHAQUE NUIT EST DEVENUE UN CALVAIRE POUR MOI. TU NE TE RENDS PAS COMPTE.

* RESPIRATION BRUYANTE. TRÈS BRUYANTE.

ALLONS! ALLONS! JE SUIS CERTAIN QUE TU EXAGÈRES!
ON VOIT BIEN QUE TU NE T'ENTENDS PAS RONFLER. VOILÀ UNE SEMAINE QUE JE N'AI PLUS FERMÉ L'OEIL.

CE NE SONT PLUS DES POCHES QUE J'AI SOUS LES YEUX, CE SONT DES CONTAINERS... D'AILLEURS, JE PRÉFÈRE ME RETIRER.

ADIEU. JE REJOINS LA SOLITUDE GLACIALE ET NOCTURNE QUE JE N'AURAIS JAMAIS DÛ QUITTER.
!
OUSTE. À LA NICHE.

SNIF.
MA CABANE AU CANADA
JE SUIS SEUL CE SOIR, AVEC MA PEINE...

QUELQUE CHOSE ME DIT QUE JE ME SUIS FAIT PIÉGER À LA SENSIBLERIE.
Z *
* IDEM.

CUBITUS ET COUTUMES.

31 DÉCEMBRE. 18 HEURES.

20 HEURES.

21 HEURES.

22 HEURES.
POC

22 HEURES 30 MINUTES.
?
STOP
DRING

MINUIT.

1er JANVIER. 0 HEURE, 1 MINUTE.

0 HEURE, 5 MINUTES.

L'ENFER DU DÉCOR.

SILENCE ET PETIT MATIN.

WHÂÂÂÂÂÂ
AHEM.

QU'EST-CE QUE VOUS FOUTEZ LÀ, VOUS ?
EN VOILÀ UN INDISCRET !... JE SUIS À PEINE LEVÉ ET...
JE VIENS M'INFORMER DE VOTRE HUMEUR, ET DE CE FAIT PRENDRE LES DISPOSITIONS QUI S'IMPOSENT.

ET D'UN : ÇA NE VOUS REGARDE PAS. ET DE DEUX : CE N'EST PAS AVEC UN DRAPEAU BLANC QU'ON DIT BONJOUR À SON VOISIN.
JE N'AVAIS PAS L'INTENTION DE VOUS DIRE BONJOUR, JE VOUS AI POSÉ UNE SIMPLE QUESTION. RÉPONDEZ-Y, PIGNOUF !

CUBITUS, JE ME LÈVE CHAQUE JOUR DE BONNE HUMEUR JUSQU'À CE QUE VOTRE APPARITION VIENNE TOUT BOULEVERSER. DONC, CONSIDÉREZ QUE JE SUIS DÉJÀ À PRÉSENT TRÈS MÉCONTENT.
PARFAIT.

ET RENGAINEZ CE STUPIDE DRAPEAU BLANC QUI NE SIGNIFIE RIEN SINON QUE VOUS ÊTES RIDICULE.
ET IL M'INJURIE. C'EST INESPÉRÉ.

SACHEZ, MON ENNEMI, QUE CELUI QUI, COMME VOUS, S'OBSTINE À NE VOIR QU'UN SEUL CÔTÉ DES CHOSES S'EXPOSE À DES REVERS CUISANTS... ET JE VAIS LE PROUVER.
FEU.
?

VOUS AVEZ DIT BLIZZARD?

CUBITUS, PLUS JE VOUS REGARDE ET PLUS JE MAUDIS LE SORT INJUSTE QUI A VOULU QUE NOUS SOYONS VOISINS.
AH?

VOUS RENDEZ-VOUS COMPTE QU'À VOTRE PLACE J'AURAIS PU CONNAÎTRE JOHN WAYNE OU TRAVOLTA ?... OU N'IMPORTE QUI D'ILLUSTRE ... UN GRAND BONHOMME DONT TOUT LE MONDE A DÉJÀ ENTENDU PARLER, QUOI ?
AH?

JE VOIS UNE PERSONNALITÉ TRÈS RAFFINÉE PRATIQUANT LES GRANDS SILENCES DE LA MÉDITATION.
AH?

PEUT-ÊTRE QU'UN RIEN D'EMBONPOINT DONNANT L'ASSURANCE DE LA RÉUSSITE LUI IRAIT BIEN. JE L'IMAGINE BIEN CAMPÉ AVEC JUSTE CE QU'IL FAUT D'AUTORITAIRE DANS LE NOIR DE L'OEIL.
AH?

PAR CONTRE, UNE PERSONNALITÉ IMMACULÉE. PAS UNE TACHE. RIEN. L'OUTIL À LA MAIN, ÇA OUI! ÇA FAIT TOUJOURS BIEN.
AH?

LE NEZ FIN DE L'HOMME D'AFFAIRES ET LE HAUT DE FORME DE LA BONNE SOCIÉTÉ. CE SERAIT FORMIDABLE.
BON.

BON AMUSEMENT.
GLACIER
449.

POSTES, . . . EH, RIEUR!

HELP!
Ceci est mon testament : après un début de croisière
sans histoire, nous avons heurté une vieille mine toute
moisie qui nous a pété au blair, même que tout le monde
est allé au bouillon et qu'on s'est accroché à tout ce qui
flottait. Je crois que mon heure est venue et si Sénéchal
se marre en l'apprenant, que quelqu'un veuille bien
lui botter les fesses de ma part. Je lègue ma niche
et tous mes os à Sémaphore. Cubitus.

HELP!
SLURP.

AH, ZUT! ÇA, JE N'Y AVAIS PAS PENSÉ : JE N'AI PAS DE BOUTEILLE!... D'AILLEURS, MÊME SI J'EN AVAIS UNE, IL FAUDRAIT ENCORE QUE JE LUI TROUVE UN BOUCHON. ZUT! ZUT! ET REZUT!
QUE FAIT-ON DANS CES CAS-LÀ ?

IL NE ME RESTE QU'À L'ÉPINGLER AU MÂT. ON LA TROUVERA À CÔTÉ DE MON SQUELETTE TOUT AMAIGRI.

PAS SÛR! UNE CAISSE! JE SUIS PEUT-ÊTRE SAUVÉ!
POC

ET JE N'AI PAS DE TIMBRE, NON PLUS!!...
POSTES

COMME UNIQUE ACTION.

SÉNÉCHAL, VOUS ÊTES UNE PATATE ET DÉSORMAIS JE NE ME GÊNERAI PLUS POUR VOUS LE DIRE.
JE VOUS NARGUE, JE VOUS MÉPRISE ET JE VOUS ENQUIQUINE. PAF.

VOUS EN VOULEZ ENCORE? PARFAIT: DEPUIS QUE JE VOUS CONNAIS, JE VOUS AI TOUJOURS CONSIDÉRÉ COMME UN NAVRANT. TAISEZ-VOUS, JE N'AI PAS FINI, ANDOUILLE.

NON SEULEMENT, VOUS ÊTES LAID, MAIS VOUS CUMULEZ AUSSI LA BÊTISE!... COMBIEN FONT UNE SOURIS PLUS UNE SOURIS? RÉPONDEZ, CANCRE!
VOUS DITES DEUX?...
PAS DU TOUT!
C'EST UNE RACLÉE SI JE VOUS SURPRENDS À LES TAQUINER.

QUAND JE VOUS REGARDE, JE ME DEMANDE OÙ LA NATURE A BIEN PU TROUVER L'IMAGINATION DÉMENTE POUR VOUS FAIRE LA TÊTE QUE VOUS AVEZ. POUAH.
JE VOUS DIS CROTTE ET JE NE VOUS SALUE PAS.

VOILÀ QUI EST ENVOYÉ.
DING

C'EST À PEINE CROYABLE.
AH?

VOUS AVIEZ REMARQUÉ QUE TOUS LES TÉLÉPHONES DU QUARTIER SONT EN DÉRANGEMENT DEPUIS HIER?...
OUI! OUI! UN VRAI SCANDALE! ...
... ET AVEC CE QUE ÇA NOUS COÛTE!...
454.

MISE EN BOITE.

BONJOUR, CHER CLIENT. JE VENDS DES ALIMENTS COMPOSÉS POUR CHATS ET...
ÇA NE M'INTÉRESSE PAS, J'AI UN CHIEN ET...

AUCUNE IMPORTANCE, ILS SONT AUSSI BALLOTS LES UNS QUE LES AUTRES. C'EST TOUJOURS LE MÊME CONTENU, IL N'Y A QUE L'ÉTIQUETTE QUI CHANGE. VOUS FAITES UN DEMI-TOUR ET ILS N'Y VOIENT QUE DU FEU.

JE LE PENSAIS JUSTEMENT: SANS VOUS EN DOUTER, VOUS VENEZ DE JOUER AVEC VOTRE SANTÉ.
BALLOTS? AH, BON!

NÉGOCE INGRAT ET PÉRILLEUX OÙ LES RISQUES ABONDENT.
MANGE!

GLOP.
HIPS.
BURP.
À LA QUATORZIÈME BOITE, COMME IL SUPPLIAIT ET QUE J'ÉTAIS FATIGUÉ DE LUI DONNER DES CALOTTES, JE L'AI LÂCHÉ!...
TIENS! J'Y SONGE: POUR MIDI, J'AI PRÉVU DES POMMES SOUS LA CENDRE, UNE ESCALOPE AUX HERBES ET UN PETIT CÔTES DU RHÔNE...
ÇA TE VA?

LE MOTEUR À EXPLOSION.

CUBITUS !!... ESSAIE DE ME TROUVER UNE GOUPILLE!... N'IMPORTE OÙ, MAIS DÉPÊCHE-TOI. IL NE ME MANQUE PLUS QUE CELA ET MA MOTO SERA PRÊTE À TOURNER.

... JAMAIS MOYEN D'AVOIR LA PAIX DEUX MINUTES DANS CETTE CAMBUSE !!!
GRAT GRAT GRAT

UNE GOUPILLE!... UNE GOUPILLE!... OÙ VOULEZ-VOUS QUE JE TROUVE CELA DANS UN FOURBI PAREIL ?!? JE RÊVAIS JUSTEMENT D'UN DE CES GUEULETONS!...
Z.

ET ALORS? TU TROUVES?

UNE SECONDE!... AH OUI! LÀ! J'EN VOIS UNE SUR LA CHEMINÉE!... TU N'AS BESOIN QUE DE LA GOUPILLE, PAS DE TOUT CE QU'IL Y'A AUTOUR?!...
MH. MH.

HÉ! NON! PAS CELLE DE LA CHEMINÉE!

J'APPRENDS À L'INSTANT QUE TU AS COMMENCÉ UNE COLLECTION DE VIEILLES GRENADES CHARGÉES.
BRAVO. BRAVO.
458.

UN REMÈDE AU POIL.

"AVEC ÇA, ÇA POUSSE, ÇA POUSSE ET ÇA NE S'A'WÊTE PLUS, MON GARS.
ANNIBAL du BOUDELARUE."
C'EST BIEN ÇA ! J'ÉTAIS SÛR QU'IL M'EN RESTAIT ENCORE UN PEU.
MARINES

ON PEUT SAVOIR CE QUE C'EST ?
ÉVIDEMMENT ! C'EST UNE VIEILLE RECETTE DE LOTION CAPILLAIRE QUE J'AI RAMENÉE JADIS D'UNE ESCALE À LA GUYANE OU À LA MARTINIQUE... JE NE SAIS PLUS TRÈS BIEN...

ET COMME J'AI ASSISTÉ CE MATIN À LA CHUTE FRACASSANTE D'UN DE MES CHEVEUX, J'INTERVIENS.
C'EST EFFICACE ET ÇA S'APPLIQUE AVEC UNE BROSSE.

ÇA NE SENT PAS BON ET ÇA A UNE DRÔLE DE COULEUR.
PATIENCE. D'APRÈS LA NOTICE, LE RÉSULTAT EST IMMÉDIAT.

TU VAS VOIR.

!
JE NE VOIS RIEN.

MOI, À MON AVIS, C'ÉTAIT UN ATTRAPE-NIGAUD !
ET MOI JE TE DIS QU'IL A DE LA CHANCE D'HABITER LOIN SINON J'EN CONNAIS UN QUI M'ENTENDRAIT
D'AILLEURS, IL N'Y A PAS D'ADRESSE SUR L'ÉTIQUETTE !
459.

LA BOULE AUX YEUX D'OR.

SÉNÉCHAL, JE VAIS VOUS APPRENDRE À JOUER À LA PÉTANQUE.
NE RIGOLEZ PAS. J'AI BATTU MARIUS, OLIVE, CÉSAR, ESCARTEFIGUE ET MAÎTRE PANISSE TOUS ENSEMBLE... UN JOUR OÙ J'ÉTAIS FATIGUÉ!

VOUS PRENEZ LA POSE, VOUS POINTEZ ET VOUS ESSAYEZ D'ATTEINDRE LE COCHONNET EN PLEINE POIRE.
FEU!

POC!

J'AI DIT LE COCHONNET!!!

PLAF!

LE COCHONNET!

LE COCHONNET!

SERAIT-CE UNE INSULTE?
ET BONJOUR CHEZ VOUS.

VISITEZ LE TEMPLE DU SOLEIL ET SES DANGERS
FRISSON GARANTI DEVANT SES TARENTULES.
PARCOUREZ SA JUNGLE MANGEUSE D'HOMMES.
AAAH!
GRR
HELP
ENTRÉE
COMBATTEZ SES INDIENS RÉDUCTEURS DE TÊTES.
AFFRONTEZ SON CROCODILE GÉANT!
NAVIGUEZ SUR SES TORRENTS ET RAPIDES.
POURTANT, JE SAIS LIRE! ...

ENCORE UN PARCOURS.

BOM
UN BONJOUR DES RÉDUCTEURS DE TÊTES

PLOP

BONG

SORTIE

C'EST BIEN CE QUE JE PENSAIS: J'AI ÉTÉ EU! JE N'AI PAS VU LE CROCODILE GÉANT!!!
IL EST EN PANNE!!!
... ET TROIS FOIS QUE JE REFAIS LE PARCOURS!!
SORTIE

LE SOIR AU FOND DES BOAS.

?

QU'EST-CE QUE TU FOUS LÀ, TOI ?
J'AI CRU ÊTRE TON ANIMAL FAMILIER, MAIS COMME TU NE ME PRÊTES PAS SUFFISAMMENT D'ATTENTION, J'EN DÉDUIS QUE JE NE SUIS QU'UN MEUBLE ET JE ME RANGE DONC CONTRE UN MUR.

JE SAIS : TU PRÉFÉRERAIS PEUT-ÊTRE ADOPTER UNE PANTHÈRE, UN BÉBÉ CROCODILE OU UNE CHENILLE À AIGRETTE POUR TE DISTINGUER AUPRÈS DES VOISINS,... MAIS JE LA VOIS MAL TE SERVIR L'APÉRO CHAQUE SOIR AVANT LE FILM À LA TÉLÉ !...

TU VEUX DE L'ASPIRINE ?

N'IRONISE PAS ! JE PARS. JE NE REVIENDRAI QU'APRÈS COMPLÈTE MUTATION, LE TEMPS DE ME FORGER UNE NOUVELLE NATURE !... COCCINELLE, PEUT-ÊTRE ?...

...ET EN BOA, COMMENT ME TROUVES-TU, BEAU BLOND ?!?
LA PSYCHOLOGIE CANINE ET SES MYSTÈRES
467.

QU'EST-CE QUE C'EST QUE ÇA COATL?

...CHANTER EN BARBOUILLANT...
CUBITUS, SI JE VOUS DIS "QUETZALCOATL", QUE ME RÉPONDEZ-VOUS?
?
QUE C'EST CELUI QUI LE DIT QUI L'EST ET QUE SI VOUS CONTINUEZ À ME DIRE DES HORREURS PAREILLES, VOUS ALLEZ PRENDRE MON POT DE PEINTURE SUR LA NOIX. OUSTE.

ON VOIT QUE VOTRE HORIZON CULTUREL NE DÉPASSE PAS LA PROÉMINENCE DE VOTRE BEDAINE, MONSIEUR CUBITUS. VOUS DEVRIEZ LIRE UN PEU ET VOUS SAURIEZ DE QUOI JE PARLE.
J'AI HORREUR QU'ON ME BASSINE QUAND JE PEINS MA FAÇADE ET ÇA VA MAL FINIR!

QUETZALCOATL EST UNE ANCIENNE DIVINITÉ TOLTÈQUE FIGURÉE PAR UN SERPENT À PLUME, MAÎTRE DE L'AIR ET DES PHÉNOMÈNES CÉLESTES. VOILÀ.
PHÉNOMÈNES CÉLESTES! ...
IGNARE.

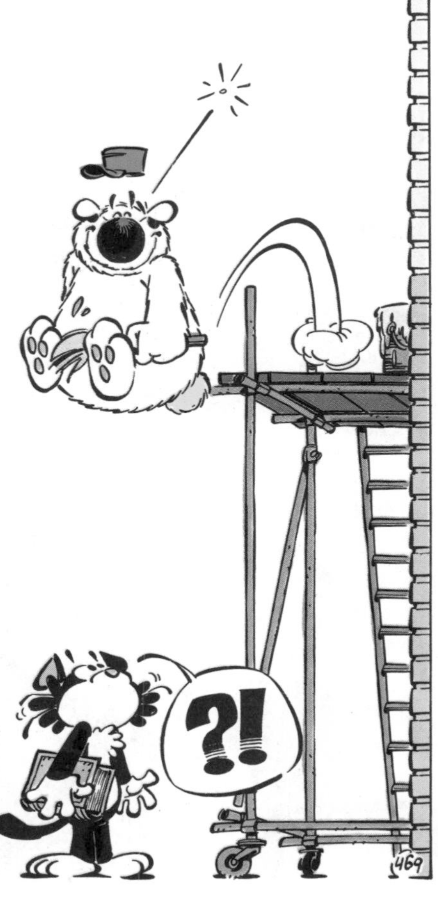

?!

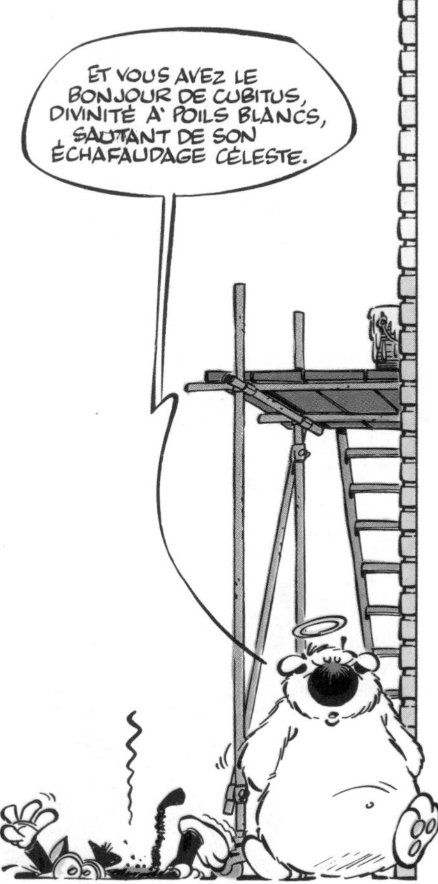

ET VOUS AVEZ LE BONJOUR DE CUBITUS, DIVINITÉ À POILS BLANCS, SAUTANT DE SON ÉCHAFAUDAGE CÉLESTE.

CHUT! . . .

... ÇA PLANE POUR MOI...

PAF
POUF
!?

C'EST LA PANNE! IL N'Y A JAMAIS QU'À MOI QUE ÇA ARRIVE, DES ÉPOUVANTABLERIES PAREILLES!!!

BIEN QUE NOUS NOUS PRÉCIPITIONS AVEC APPLICATION VERS L'APLATISSEMENT ABSOLU, MES LECTURES DE JEUNESSE ME RAPPELLENT QU'IL NE FAUT JAMAIS DÉSESPÉRER.
OÙ EST MA CLÉ DE HUIT?

PAS DE PANIQUE! ON Y ARRIVERA! VOYONS SI LES BOUGIES NE SONT PAS SOUFFLÉES ET SI L'ALIMENTATION CONTIENT ASSEZ DE CALORIES!
MA BATTERIE FERAIT POURTANT PÂLIR N'IMPORTE QUEL ARTILLEUR DE SOIXANTE-QUINZE!...
... BIZARRE!
ÇA Y EST! J'AI TROUVÉ!! C'ÉTAIT SIMPLEMENT UN BÊTE FIL DÉBRANCHÉ. UNE PÉCADILLE...
... UN INCIDENT MINEUR DONT ON N'AURAIT JAMAIS DÛ ENTENDRE PARLER.

LA PREUVE: ÇA REPART ...
G.
VROBODOM
VROBODOM
VROBODOM
VROBODOM

SANS CRIER GARE DE ROBES.

CUBITUS!! DÉPÊCHE-TOI! NOUS PARTONS EN WEEK-END DANS UN QUART D'HEURE. SI TA VALISE N'EST PAS BOUCLÉE À TEMPS, JE PARS SEUL ET TANT PIS POUR TOI!
J'ARRIVE! J'ARRIVE!

MONSIEUR SÉMAPHORE S'IMPATIENTE, MAIS SI J'OUBLIE MON HUILE SOLAIRE, CE N'EST PAS LUI QUI ME PRÊTERA SES AMPOULES.
PFRT.

BON. ADMETTONS QU'IL Y AIT UN SOLEIL À PIERRE-FENDRE... QUE PRENDRE? QUE PRENDRE?
UNE BOUÉE?
UN PARASOL?
J'HÉSITE.

ÉVIDEMMENT, IL FAUT TOUT PRÉVOIR ET UN CHANGEMENT DE TEMPS EST TOUJOURS POSSIBLE. ÇA COMMENCE PAR UN NUAGE, UNE PETITE AVERSE, UN COURANT D'AIR ET ATCHOUM!... ON ZE REDROUVE À BARLER GOBBE ZA!
LES BOTTES? MWOUAIS!
ET L'ÉCHARPE?

DE LA NEIGE À DÉCORNER LES BOEUFS!?! MH? EH OUI! ÇA S'EST DÉJÀ VU EN PLEIN ÉTÉ... IL FAUT TOUT PRÉVOIR DANS CE PAYS.
OÙ EST MON PASSE-MONTAGNE?
AH! ÇA, CE SONT MES COQUILLAGES DE L'AN DERNIER.

... SANS COMPTER QUE SI JE PRENDS TROP DE BAGAGES, SÉMAPHORE VA ENCORE RÂLER PARCE QUE SA VOITURE NE TIRE PLUS DANS LES CÔTES.
ET ALORS? ÇA VIENT?!?

VOILÀ! VOILÀ! JE SUIS PRÊT!... UN PEU DE PATIENCE, QUOI!
TU AS REMARQUÉ?... JE N'AI PRIS QU'UNE TOUTE PETITE VALISE.
OCCASE

DES PETITS TROUS, DES PETITS TROUS! ...

REDRESSEUR DE TORTS, ÇA, C'EST UN MÉTIER !
PFF

TOUJOURS AU GRAND AIR, COSTUME VOYANT, SOUFFLE ÉPIQUE ET FIER À BRAS...
JE ME SENS LA VOCATION.

...DES TAS DE MECS À CORRIGER, DES VEUVES ET DES ORPHELINES À CONSOLER ET UNE BONNE IMAGE DE MARQUE À ENTRETENIR!...
LA GRANDE VIE, QUOI!

ET LES ENGINS!... ÇA, C'EST LE PIED!... DES AUTOMOBILES À BOUSCULER, DES PAQUEBOTS ET DES FUSÉES À PRENDRE EN CHASSE, DES TRAINS FOUS À STOPPER, DES...
TÛÛÛÛÛÛÛÛT
HÉ! AU LIEU DE FRIMER, TU FERAIS MIEUX DE ME DÉLIER, HÉ PATATE!...

DOUGOUDOUG DOUGOUDOUG DOUGOUDOUG DOUGOUDOU

IL N'Y A QU'UN INCONVÉNIENT...
G.

S.O.S. FRINGUES
...LES FRAIS VESTIMENTAIRES!

UN PEU GONFLÉ.

SÉNÉCHAL, CONNAISSEZ-VOUS MA NOUVELLE PASSION ?
NON ! MAIS CASSE-PIEDS COMME VOUS L'ÊTES, VOUS N'ALLEZ PAS TARDER À M'EN ASSÉNER LA RÉVÉLATION.

JE VIENS DE DÉCOUVRIR LE MONDE FABULEUX DES MONTGOLFIÈRES ET SI JE NE ME RETENAIS PAS, JE VOUS DIRAIS QUE SÉMAPHORE (QUI A DE TOUT DANS SA CAVE) EN A EXHUMÉ CELLE-CI, AVEC LAQUELLE IL EFFECTUA LA PREMIÈRE LIAISON SAUCE-BECHAMEL EN SEPT MINUTES ET DES ÉCLABOUSSURES EN 1922.

EN FAIT DE GROS PLEIN D'AIR, ON VOUS AVAIT DÉJÀ... MAIS QUAND VOUS SEREZ DANS LE PANIER, ON SE DEMANDERA QUI EMPORTE L'AUTRE.
VOUS ÊTES INSOLENT ET BÊTE !

D'AILLEURS, REGARDEZ COMME ELLE S'ARRONDIT BIEN QUAND JE LA GONFLE. J'IMAGINE LA BOBINE QUE VOUS FEREZ QUAND JE VOUS ACCORDERAI UN REGARD DU HAUT DE MON NUAGE...
OH ! RASSUREZ-VOUS J'Y AI SONGÉ.
FFFFCHCHCH

ELLE EST SUPERBE ! QU'EN PENSEZ-VOUS ?
SI JE VOUS LE DIS SANS MÉNAGEMENT, VOUS ALLEZ VOUS DÉGONFLER TOUS LES DEUX !

MAIS À PROPOS, ON DIRAIT QUE VOUS ÊTES TRÈS OCCUPÉ AUSSI !! SERAIT-CE DE LA SCULPTURE D'AVANT-GARDE, TOUS CES BOUTS DE TUBE QUE VOUS SOUDEZ ENSEMBLE ?

COMMENT AVEZ-VOUS DEVINÉ QUE C'ÉTAIT MA NOUVELLE PASSION ?!...
... ET QU'ELLE POURRAIT BIENTÔT REJOINDRE LA VÔTRE ?
482

MUSIQUE DE CHAMBRE À AIR.

ENFER ET PERFORATION!!

IMAGINEZ LES CONSÉQUENCES SI J'AVAIS POSÉ LA PATTE SUR CET OBJET!... DES SEMAINES ET DES SEMAINES SANS COUP DE PIED AU POPOTIN DE SÉNÉCHAL! LE CATACLYSME!
C'EST AU MOINS DU 14! GROS CALIBRE!

ON A BEAU DIRE, MAIS EN RUE, LE CHIEN, AVEC SA REGRETTABLE HABITUDE D'ALLER TOUJOURS PATTES NUES, EST TOUT PARTICULIÈREMENT EXPOSÉ AUX GROS BOBOS!
GRAT-GRAT

ON N'EST JAMAIS ASSEZ PRUDENT: ADIEU! VILAIN CLOUCLOU!
VVRÔÔÔÛÛO

C'EST UNE CREVAISON!
NON MAIS!!?...VOUS LE FAITES EXPRÈS, OU QUOI?!?
PIPETTE
VENTE ACHAT
LA CHAMBRE À AIR QUI VOUS COUPE LE SOUFFLE.
STOCK ILLIMITÉ
LA BONNE PUNAISE DU PÈRE FORT FORGÉE À LA MAIN
GROS
EXTRABUS IN CONCERT
THE CURE

MOI, J'AIME LE MUSICOLLE.

SÉNÉCHAL ET MOI ALLONS VOUS INTERPRÉTER LA SONATE AU CLAIR DE LUNE, DE... CHOSE, LÀ... EUH, BEETHOVEN, AVEC EXTENSION HASARDEUSE POUR VIOLON ET CHAT PERCHÉ !

MAIS AVANT DE SAUTER À L'EAU, NOUS ALLONS NOUS LIVRER À UN PETIT EXERCICE D'ASSOUPLISSEMENT QUI SE PRATIQUE BEAUCOUP AUX STATES ET AUQUEL J'AI ASSISTÉ LORS D'UN DE MES NOMBREUX PASSAGES AU CARNEGIE HALL.
HO ! LÀ, TU POUSSES, HEIN ! ...

VOUS VOUS MUNISSEZ D'UNE BONNE HACHE ET D'UNE PLANCHE D'ÉPAISSEUR MOYENNE FICHÉE EN TERRE ET PERCÉE EN SON MILIEU D'UN ORIFICE CONVENABLE ET ÉBARBÉ !

LE JEU CONSISTE À FAIRE PASSER VOTRE INSTRUMENT D'UN CÔTÉ À L'AUTRE DE LA PLANCHE EN PASSANT PAR LEDIT TROU. ON PEUT COMMENCER PAR UN SIFFLET DE GENDARME QUAND ON DÉBUTE, MAIS POUR BEETHOVEN, C'EST UN PEU MINCE.
TCHOC
CRAC

PENDANT CE TEMPS, VOTRE ACCOMPAGNATEUR RÉCEPTIONNE LES MORCEAUX DE L'AUTRE CÔTÉ, LES RECOLLE EN HÂTE AFIN DE POUVOIR, DANS QUELQUES INSTANTS, ATTAQUER LE PREMIER MOUVEMENT.

IL VA DE SOI QUE L'EXÉCUTANT PRINCIPAL DOIT, LUI AUSSI, ACCÉDER À SON PIANO EN SUIVANT LE MÊME CHEMIN.
GROUILLEZ-VOUS, SÉNÉCHAL. J'ARRIVE !

TOUT COMPTE FAIT, JE CROIS QUE NOUS ALLONS PLUTÔT VOUS JOUER "AU CLAIR DE LA LUNE, MON AMI PIERROT" DANS SA VERSION CONDENSÉE POUR UN DOIGT ET TRALALA PERPLEXE.
?
HI ! HI !
484

ENTRE AMIS, ON SE SENT BIEN.

CHANG
AH.
BURP.

SNIF. SNIF?!?... CUBITUS, C'EST INOUÏ! VOUS SENTEZ LA FRITE, MON VIEUX!

BIEN BALANCÉ.

SLURP.

BLUB.

JE N'Y COMPRENDS RIEN: PLUS JE MANGE ET MOINS JE PESE?!?...
486.

C'EST L'ESCALE, HOP!

NOUS DISIONS DONC : UN BEEFSTEAK, UN OS À MOELLE, DES SAUCISSES, DU FROMAGE DE TÊTE, UN MORCEAU D'ALOYAU, DE L'AMÉRICAIN ET UNE LANGUE.
VOILÀ, CUBITUS.

FORMIDABLE, CE CHIEN! IL FAIT TOUTES LES COURSES POUR SON MAÎTRE, IL PAIE ET IL N'OUBLIE JAMAIS RIEN.
ET POUR VOUS, CE SERA?...

J'OUBLIAIS! SÉMAPHORE M'A AUSSI DEMANDÉ UNE CROSSE DE JAMBON POUR LE POTAGE!...
...
?

L'EXCEPTION CONFIRME LA RÈGLE : C'EST LA PREMIÈRE FOIS QUE ÇA LUI ARRIVE!
ET POUR VOUS, CE SERA?...

LA PLATE CÔTE! ENCORE UN PEU ET JE PARTAIS SANS ELLE! SÉMAPHORE EN VOUDRAIT UN KILO BIEN PESÉ!
!

ET LE BOUILLI!! OÙ AVAIS-JE LA TÊTE? C'EST POUR LE POT-AU-FEU DE JEUDI!... METTEZ M'EN UN GROS MORCEAU.
?!

JE NE SAIS PAS CE QUI LUI A PRIS!... IL M'A DIT QUE LA PROCHAINE FOIS, TU DEVAIS TÉLÉPHONER.
?!
?
?
?
487

PRINTED IN BELGIUM BY proost INTERNATIONAL BOOK PRODUCTION

IMPRIMÉ EN BELGIQUE